Rencontre amicale

© 2011, Bayard Éditions
Dépôt légal : décembre 2011
ISBN : 978-2-7470-3730-3
Illustrations intérieures et de couverture : Didier Balicevic
Maquette : Fabienne Vérin
Suivi éditorial : Céline Potard
Tous droits réservés.
Reproduction, même partielle, interdite.
Loi n° 49-956 du 16 juillet 1949 sur les publications destinées à la jeunesse.
Imprimé en Espagne par Novoprint

Lionel Wengler

Rencontre amicale

Illustré par Didier Balicevic

bayard jeunesse

Sydney
théo
Mike
Djamel
Karim
l'équipe de St-Antonin
Sacha
Rob
Damien
Salvator

Frank Rodriguez
Bobo
Pierre
David
Angel
Fabien
tom
Loïc
Fred
Ascel
Sam

Un petit serpent venimeux

– Angel, je compte sur toi.

Le jeune garçon délaisse sa bande dessinée de Kingstar pour lever les yeux sur son père. Julien Marinelli lui sourit et, quand il a ce sourire-là, tendre, confiant, chaleureux, Angel ne peut rien lui refuser.

– David n'est pas heureux, poursuit Julien. Vous savez que ses parents sont séparés. Sa mère est dans une maison de repos. Son père est ingénieur. Il voyage beaucoup. Il participe à la construction d'un barrage hydro-électrique au pied de l'Himalaya. C'est un homme extraordinaire, mais il n'a pas le temps de s'occuper de son fils. David n'a pas d'amis...

– Tu m'étonnes ! murmure Flo, la grande sœur d'Angel.

Julien se tourne vers la fillette :

– Qu'est-ce que tu dis ?

– S'occuper de ce gamin, c'est dur-dur, soupire Flo.

Julien hoche la tête :

– Je sais. David est renfermé, indiscipliné, insolent...

– Méchant, ajoute Flo.

– D'accord, mais sa vie n'est pas rose, et il a ce problème de main.

– Ah bon ? Qu'est-ce qu'elle a, sa main ? interroge Angel.

– Une légère paralysie, suite à un accident. Il a du mal à écrire. C'est un handicap pour ses études. Jean-Pierre Pluvier, mon ami d'enfance, m'a demandé de m'occuper de David. Je ne pouvais pas refuser ça. Je compte sur toi pour le distraire, Angel. Vous avez le même âge…

« J'ai huit ans, lui sept », rectifie Angel pour lui-même. Il questionne :

– Il va rester longtemps ?

– Non, le temps des vacances.

« Deux semaines ! » calcule Angel, consterné.

Il envisageait de se balader à vélo, de jouer au foot dans l'équipe des poussins de Saint-Antonin, de défier Charly, son meilleur ami, aux jeux vidéo. L'arrivée de David ruine ses projets.

– Si tu veux bien, David couchera dans ta chambre.

– Pourquoi pas dans la chambre d'amis ?

– Ce sera plus sympa.

Sympa ! Angel se souvient d'un gamin sournois, capable de mentir pour faire punir ses camarades.

– Un petit serpent venimeux dans ton lit, je te souhaite bon courage, chuchote Flo à l'oreille de son frère.

– Dans ma chambre, il n'y a qu'un seul lit, fait remarquer Angel.

– On y installera le divan de la véranda.

– Tu penses à celui dont le sommier est défoncé ? pouffe Flo.

Julien adresse un sourire à sa fille :

– Avec deux matelas, ça ira très bien.

« Mince, il a tout prévu, je suis coincé ! » se résigne Angel.

– Ah ! Justement, voici Albert, annonce son père.

Albert vient deux fois par semaine. C'est l'homme à tout faire de la maison : jardinier, maçon, électricien, plombier, déménageur…

Avec son aide, Julien transporte le divan dans la chambre. Puis Agnès, la mère d'Angel, dispose les draps, couvertures et oreillers. Auparavant, elle a mis de l'ordre dans la pièce. Le garçon se désole de voir sa console de jeux et ses fanions de Manchester et du Barça remisés dans un placard. Ce n'est plus une installation, c'est une invasion !

Il supplie sa sœur :

– Je ne peux pas dormir avec toi, dis ?

Flo prend un faux air triste et se tord les mains avec un désespoir comique :

– Tu veux abandonner ce pauvre gosse à ses cauchemars ? Sans cœur !

Elle se moque de lui au lieu de l'aider ! Flo déteste David. Elle a ses raisons : ses poupées décapitées, ses livres préférés barbouillés de peinture, une gifle reçue et rendue. Les sanglots du garçon, la punition de la coupable.

« Tout ça date d'il y a deux ans, il a peut-être changé ! » espère Angel.

Au même instant, un bruit de moteur l'attire vers la fenêtre. Un taxi s'arrête devant la villa. Une dame en noir en descend, suivie d'un petit garçon aux cheveux blonds. Angel reconnaît David. Il n'a pas changé depuis leur dernière rencontre. Toujours aussi maigre, un peu plus grand peut-être. Son poignet droit est bandé. Il tend la main gauche à Julien, inclinant la tête avec un respect excessif. Puis il embrasse Agnès, qui lui caresse les cheveux. L'image même d'un enfant sage.

– Angel !

Son père l'appelle. C'est le moment qu'il redoute. Il hésite, puis se décide : tôt ou tard, il faudra bien qu'il affronte l'épreuve. Il dévale l'escalier. En bas, David sourit gentiment :

– Salut !

– Salut ! répond Angel, sur la défensive.

Flo survient à son tour. David lui fait la bise. D'un revers de main, la fillette essuie le baiser mouillé.

Le chauffeur de taxi dépose la valise et le sac de David sur le perron. La dame en noir remonte dans l'auto. C'est l'assistante de Jean-Pierre. Venue accompagner l'enfant, elle ne peut s'attarder plus longtemps. « Elle doit être pressée de se débarrasser de lui », pense Angel.

– Montre ta chambre à David, ordonne Agnès. Et donne-lui un coup de main.

David prend son sac de la main gauche. Angel porte la lourde valise dans les escaliers. En haut, David pose le sac sur le grand lit.

– C'est ma place, proteste Angel.

David examine le divan installé près de la fenêtre :

– Je ne supporte pas les courants d'air.

D'autorité, il ouvre sa valise et déballe ses affaires sur le lit conquis. Du seuil de la chambre, Flo observe la scène avec un rire étouffé. Angel désigne au garçon la place qu'on lui a réservée dans son armoire.

– Tu peux mettre tes affaires ici, dit-il.

Et après un long silence, il ajoute :

– Je vais dans le jardin.

– Attends-moi ! exige David.

Ranger ses vêtements et ses jeux lui prend un temps fou. « Il le fait exprès ! » s'impatiente Angel. Parfois, le garçon se sert instinctivement de sa main blessée. « Pas si paralysée ! » se dit Angel.

Quand David a enfin terminé, Angel lui propose :

– On fait une partie de racing car ?

– Qu'est-ce que c'est ?

– Un jeu vidéo.

– Avec une seule main ? grommelle David.

– Si tu veux, on joue aux portraits.

Le garçon sourit avec mépris :

– C'est pour les filles !

– On regarde la télé ?

– Tu n'as pas plutôt des bouquins ?

Angel lui apporte une pile de bandes dessinées. David les laisse tomber sur le plancher, l'une après l'autre.

– Ils sont nuls, tes albums ! soupire-t-il.

Angel en a déjà assez de ses caprices. « Dire que ça va durer quinze jours ! » enrage-t-il.

– Bon, moi, je vais dehors !

Sur ce, il sort de la chambre. Dans le jardin, il s'installe sous le grand marronnier. Calé sur un banc, les jambes repliées, il se plonge dans son livre. Quelques minutes plus tard, David le rejoint :

– J'ai faim !

– Demande à maman, réplique Angel sans lever le nez.

Le garçon renifle :

– Où elle est, ta mère ?

– Dans la maison, je crois… Ah, tiens, la voilà.

Agnès traverse le jardin, coiffée d'un chapeau de paille, un sécateur à la main.

– J'ai faim ! lui crie David.

Elle sourit au petit insolent :

– On déjeune dans une heure. Tu crois pouvoir attendre jusque-là ?

Il secoue la tête, maussade :

– Non, je n'ai rien mangé, ce matin.

– Je vais voir ce que je peux faire pour toi, répond Agnès avec bonne humeur.

Elle se dirige vers la cuisine, suivie de David qui traîne les pieds. « Bon débarras ! » se dit Angel. Cependant, son répit est de courte durée. David revient quelques instants plus tard, mordant dans un petit sandwich garni de beurre et de chocolat râpé. « Si c'était moi, j'aurais pu me serrer la ceinture ! » pense Angel.

Son en-cas dévoré, David tapote le livre d'Angel :

– On joue ?

– Si tu veux, mais à quoi ? soupire Angel.

– Aux portraits.

– Je croyais que c'était pour les filles ?

– Justement, tu es une fille, non ?

Angel observe d'un air furieux le visage du garçon. Ses yeux bleus et ses traits délicats seraient plutôt agréables sans son côté buté.

– Je suis champion de foot, rétorque Angel.

David ricane avec mépris :

– Le foot, c'est pour les abrutis.

« Flo a eu raison de te donner une baffe ! » songe Angel. Il se contente de dire :

– Essuie ta bouche. Tu as des moustaches de chocolat.

Champions
de papier mâché

Angel a bien dormi. Avec le double matelas, finalement, le divan est confortable. David, par contre, s'est réveillé à plusieurs reprises, en proie à des cauchemars. Soudain, il poussait un cri, se dressait, balbutiait des paroles incompréhensibles, retombait en arrière et se rendormait aussitôt.

Ses mauvais rêves l'ont épuisé. Il quitte la chambre avec un air renfrogné qui annonce une journée orageuse. Angel est déjà installé devant la table du petit-déjeuner. David, pieds nus, cheveux hirsutes, marmonne :

– Tu aurais pu m'attendre !

– Tu dormais.

– Ce n'est pas vrai !

– Tu veux du chocolat ? propose Flo.

Elle ajoute à voix basse :

– De la mort aux rats ? De l'arsenic ? Du cyanure ?

Angel éclate de rire. Vexé, David se plaint à Agnès :

– Elle veut m'empoisonner…

– Flo, je t'en prie ! gronde sa mère.

– Rapporteur ! lance la fillette.

Pour interrompre la dispute, Angel propose au garçon :

– Tu veux m'accompagner au stade ?

– Qu'est-ce que tu vas faire, là-bas ? grogne David en empilant dans son assiette la moitié des tartines préparées par Agnès.

– Je vais jouer au foot contre Orney, une grande équipe.

Le garçon hausse les épaules d'un air méprisant :

– Je te l'ai dit…

– Le foot, c'est pour les abrutis, je sais, le coupe Angel. Si tu préfères rester ici…

– On jouera ensemble à la poupée, enchaîne Flo avec une douceur suspecte. La poupée sans tête. C'est toi qui l'as inventé, ce jeu-là. Tu te souviens ?

– OK, je viens, capitule David d'un air maussade.

Une heure plus tard, les deux garçons arrivent sur le terrain. La plupart des joueurs sont déjà là : Théo, le gardien, Rob et Djamel, les défenseurs, Fabien et Sydney, les milieux de terrain, et les attaquants, Loïc, Salvator, Sacha et Bobo. Ils accueillent Angel avec bonne humeur. Loïc, le plus fort de l'équipe, ébouriffe les boucles blondes de David :

– C'est ta petite sœur ?

David réplique par une injure.

– En tout cas, elle a du vocabulaire, la mignonne ! constate Loïc en rigolant.

Frank Rodriguez, l'entraîneur, rassemble les joueurs et dirige leur échauffement. Face à eux, l'équipe d'Orney est en position.

Depuis le banc de touche, David regarde les garçons jongler, dribbler, sauter, plonger. De temps en temps, il bâille comme s'il s'ennuyait. Angel, qui le surveille en douce, remarque qu'en réalité il est attentif.

« Je vais te montrer ce que je sais faire », se promet-il.

Après l'arrivée des retardataires, Frank compose une équipe de sept joueurs. Théo, Mike, Axel, Sydney, Sacha, Loïc et Angel entrent sur le terrain. Karim, le gardien remplaçant, Djamel, Salvator, Rob, Tom

et Bobo vont s'asseoir à côté de David. L'entraîneur remplace les joueurs toutes les cinq minutes environ.

Dès le coup d'envoi, Angel, servi par Sydney, fonce vers les buts d'Orney. Il dribble un adversaire, poursuit son offensive, se cogne à un défenseur, réussit quand même à conserver la balle. Il tire en déséquilibre. Le ballon passe largement à gauche du cadre.

– Minable ! ricane David.

Les remplaçants lui lancent un regard noir.

– Alors comme ça, tu aurais fait mieux, toi, le microbe ? raille Djamel.

David sourit, dédaigneux :

– Beaucoup mieux sans ma blessure.

Il montre son poignet bandé.

– C'est ça. Et tu joues avec les mains, peut-être ? plaisante Rob.

David se renfrogne. Sur le terrain, Orney lance une offensive dangereuse, brisée par Sydney. Loïc, épaulé par Sacha, amorce une contre-attaque. La balle circule rapidement d'un avant à l'autre.

Loïc passe à Angel.

Angel dévie sur Sacha,
qui remet à Angel.

L'avant-centre décoche
un tir puissant.

Le gardien
plonge.

Du bout des doigts,
il détourne le ballon en corner.

À la remise en jeu, le gardien d'Orney saute plus haut que ses adversaires, saisit la balle et roule sur le sol. Le public applaudit et encourage son équipe :

– Orney ! Orney ! Orney !

Frank Rodriguez profite de l'interruption pour effectuer des changements. Axel et Sacha cèdent leur place à Rob et Salvator.

Après avoir fait rebondir le ballon, le gardien d'Orney dégage son camp. Son avant-centre s'empare de la balle, mais il la pousse trop loin. Théo sort de ses buts et dégage au pied. Angel s'empare du ballon à la hauteur de la ligne médiane.

Angel déborde à gauche
et poursuit sa course.

Le gardien fonce sur lui.
Angel le laisse venir.

Il détourne le ballon.

Le gardien plonge
trop tard.
Angel reprend
et marque.

L'arbitre siffle. 1 à 0. Angel lève les bras en signe de triomphe.

Sur le banc, Bobo bouscule David :

– Génial, non ?

– Il est nul, ce goal ! ricane David.

Bobo, agacé, se désintéresse du petit crâneur. D'autant plus que c'est à lui d'entrer sur le terrain. Il remplace Angel. L'avant-centre, fier de son exploit, s'installe à côté de David :

– Tu as vu un peu le travail ?

David se contente de hausser les épaules :

– C'est barbant, le foot.

– Je croyais que tu aimais ça ? Je me souviens que tu regardais les matchs à la télé.

– J'aime beaucoup les champions, oui. J'ai déjà joué, tu sais…

Angel ne fait plus attention à lui. Il suit le match, dont le rythme s'accélère brusquement. L'avant-centre d'Orney fusille Théo à bout portant. Le gardien frôle le ballon sans réussir à l'arrêter. 1 à 1. Le buteur brandit le poing vers le ciel. David lance méchamment :

– Gardiens de chèvres !

– Dis donc, minus, pour qui tu te prends ? gronde Tom.

– Avec un boulet pareil, tu serais coincé dans les filets comme une sardine, dit Rob.

– Il appellerait sa maman en pleurnichant.

Ils se moquent tous de lui. Angel conseille à David :

– Arrête de dire des bêtises. Sinon, je ne t'amènerai plus au stade !

– Je n'ai pas demandé à venir, bougonne le garçon.

Angel n'en peut plus. Lui non plus n'a pas demandé à avoir ce sale gosse toute la journée dans les pattes ! Il est sur le point de le lui dire quand Frank le rappelle sur le terrain ainsi que Djamel, Tom et Théo. Loïc, Sacha, Sydney et Karim viennent sur le banc de touche.

– Il reste cinq minutes, constate Sydney.

– Frank aurait pu attendre, grogne Loïc. J'avais le deuxième but au bout du pied. Il me démange, c'est terrible ! Terrible !

Il se dresse et hurle :

– Allez, Angel ! Vas-y !

Angel a dribblé deux adversaires.

Il évite un tacle maladroit.

Il est seul devant le gardien. Celui-ci hésite.

2 à 1. L'arbitre siffle pour annoncer la fin du match et la victoire de Saint-Antonin.

Angel revient, entouré de ses coéquipiers. Loïc le soulève dans ses bras :

– Champions ! On est champions !

– Des champions de papier mâché, oui ! rigole David.

Loïc se tourne vers le plaisantin :

– Qu'est-ce que tu as dit ?

– Tu es un champion de papier mâché.

Loïc serre les poings :

– Tu as de la chance d'être estropié, sans ça…

Angel attire David à l'écart afin de le sermonner :

– Je t'ai déjà dit d'arrêter : tu vas finir par t'attirer des ennuis.

– Pff ! Ton Loïc, il ne me fait pas peur ! crâne David.

– Tu mériterais…

Il l'abandonne, exaspéré.

– Qui c'est, ce petit bouffon que tu nous as ramené ? grogne Loïc.

– C'est le fils d'un ami de mon père qu'on m'a collé.

– Merci, papa ! ricane l'avant-centre.

Rééducation

– Tu viens avec moi ? demande David à Angel.

– Qu'est-ce que je ferai, à l'hôpital ?

– Ce n'est pas un hôpital, c'est un gymnase spécialisé.

– Tu vas faire de la muscu ? plaisante Flo en tâtant les biceps du garçon.

David lui lance un regard furieux :

– C'est pour mon poignet, il a besoin de rééducation.

– Ton sale caractère aussi aurait bien besoin d'être corrigé !

– Arrête de l'embêter ! ordonne Agnès à sa fille.

Elle se radoucit afin de rassurer David :

– Tu sais que je t'accompagne, je serai avec toi tout le temps.

– Angel doit venir aussi, s'entête le garçon.

– C'est bon, soupire Angel, résigné.

Il a appris que David allait rester chez eux plus longtemps que prévu, jusqu'au retour de son père, retenu en Inde. Un mois, peut-être davantage. Grâce à l'intervention de Julien, David a pu être inscrit à l'école en cours d'année.

« S'il reste ici, moi, je vous préviens, je préfère aller en pension », a râlé Flo. Angel, lui, est moins hargneux que sa sœur. David a ses moments de gentillesse. Ils ne sont pas nombreux mais réels. On sent qu'il est malheureux, qu'il a besoin qu'on s'occupe

de lui. La tendresse d'Agnès lui fait du bien. L'humour de Julien lui arrache des sourires, mais ses parents lui manquent.

Angel s'efforce d'être patient. Il essaie de comprendre le petit garçon, de l'aider. Parfois, il s'énerve, malgré lui, quand David se montre égoïste et tyrannique. Angel a l'impression qu'il doit être à sa disposition sous prétexte qu'il est solitaire et blessé. Il n'a pourtant que huit ans !

L'Arc-en-ciel est une belle maison blanche au milieu d'un parc. Une ancienne habitation, transformée en établissement médical.

– Pourquoi on ne va pas au centre Roque ? proteste David. C'est là que m'emmenait mon père.

– Ce centre est à Paris et nous sommes à Saint-Antonin, explique Agnès patiemment. Ton père a choisi *L'Arc-en-ciel* avec l'accord de ton médecin. C'est un très bel endroit, non ?

David traîne les pieds et entre dans la maison à contrecœur :

– Au centre Roque, il y a une piscine.

– Ici aussi. Tu veux te baigner ?

– Avec ma main ? grogne David.

– Ça n'empêche pas de nager, fait remarquer Angel. Moi, je nage d'une seule main.

– Comme un pied !

Un médecin approche, escorté d'une infirmière. Il s'adresse à Agnès :

– J'ai étudié le dossier et les radios de votre fils, que m'a transmis le centre de Neuilly. Tout va bien.

– Ce n'est pas ma mère, et je ne vais pas bien ! s'emporte David.

– Voyons cela.

L'infirmière détache le pansement du garçon. Malgré ses précautions, David gémit et se met à pleurer :

– Vous me faites mal !

– Tu es drôlement douillet.

– Je voudrais vous y voir !

– Qu'est-ce que tu ressens ? demande le médecin.

– J'ai mal.

– Ça, je sais. Remue les doigts.

David obéit. Il ferme les yeux comme si sa souffrance était intolérable. Le médecin emmène le jeune patient vers une batterie d'appareils électriques qui testent les réflexes de sa main. Il sourit, satisfait.

– Tout est en place : les ligaments, les nerfs. Un peu de rééducation et tout rentrera dans l'ordre rapidement. Tu fais les mouvements qu'on t'a enseignés ?

– Bien sûr.

Angel sait que David ment : il ne l'a jamais vu faire le moindre exercice.

– Parfait, dit le médecin. Gisèle va te montrer de nouveaux mouvements.

David regarde l'infirmière avec méfiance :

– Pourquoi de nouveaux ?

– Pour guérir plus vite. Viens avec moi.

– Angel va m'accompagner.

– Toi seul, exige l'infirmière, que la mauvaise humeur du garçon commence à agacer.

Angel est soulagé. Le médecin explique à Agnès que la gêne de David est purement psychologique. « C'est de la comédie ! » traduit Angel.

– Il est un peu capricieux, n'est-ce pas ? dit le médecin.

Agnès soupire :

– Il a des problèmes familiaux, une mère en maison de repos, un père absent...

– Un conseil : ménagez l'enfant, mais ne soyez pas trop indulgente avec lui.

– Il n'a pas l'habitude de la discipline, plaide Agnès.

– Je m'en suis rendu compte, lui répond le médecin en souriant.

Il s'en va. Resté seul avec sa mère, Angel avoue :

– David est plutôt méchant, tu sais. À l'école, personne ne l'aime. On dirait qu'il fait exprès de se faire détester.

– C'est pour ça que tu dois l'aider. Toi, il t'admire.

« Tu parles ! pense Angel. Il n'arrête pas de me traiter de nullard ! »

Au bout d'un quart d'heure, l'infirmière ramène David :

– Tu as bien compris ce que tu dois faire ?

– Je ne suis pas idiot !

– Chaque jour.

– Ouais. Maintenant, je veux qu'on me fasse mon pansement.

– Tu n'en as plus besoin.

– J'ai mal sans mon pansement.

– Tu t'y habitueras.

– Puisque je vous dis que j'ai supermal ! hurle David.

Le médecin revient, alerté par les cris du garçon. Il fait signe à l'infirmière :

– Faites-lui un bandage, mais pas trop serré pour éviter la douleur.

L'infirmière s'exécute. Autour du poignet, la bande de gaze est si lâche qu'elle n'a plus aucune utilité, à part calmer le garçon coléreux.

Une larme a coulé sur la joue de David. Il l'essuie vivement.

– Viens avec moi chez Charly, lui propose gentiment Angel. Il a de super DVD.

– Qui c'est, Charly ? demande David d'un air renfrogné.

– C'est mon ami, mon meilleur ami. Tu l'as peut-être vu à l'école. On va chez sa grand-mère, Lily. Elle est géniale.

David se contente d'un haussement d'épaules.

En voyant les deux garçons, Lily vient à leur rencontre. Elle porte un survêtement, des tennis délacés. Ses cheveux sont taillés en brosse et son visage est bronzé comme si elle revenait du ski.

Elle remarque le pansement de David :

– Qu'est-ce qui t'est arrivé ?

– Un petit accident, s'empresse d'expliquer Angel. On revient de l'hôpital.

– Tu as mal ?

– De temps en temps, grommelle David.

– Alors, pas beaucoup, conclut Lily, au grand déplaisir du garçon.

Charly survient. Il plaisante avec Angel. Leurs éclats de rire résonnent dans la maison. David conserve un air boudeur. D'emblée, il a été jaloux du meilleur ami d'Angel.

Charly met un film comique dans son lecteur. Les rires redoublent. David fait la tête :

– Il est débile, ton film !

– C'est toi le débile, réplique Charly. Tu sais à quoi tu me fais penser ? À un chiot qui montre les dents quand il a peur.

– Pourquoi j'aurais peur ? ricane David.

Charly chuchote :

– À cause des fantômes. La maison en est pleine. Tu ne me crois pas ? Tu n'as qu'à monter au grenier, en haut de l'escalier.

– J'irai tout à l'heure, décrète David en se rasseyant devant l'écran.

Angel et Charly rigolent en douce.

– Imbéciles ! râle David.

– Dis donc, tu n'es pas poli, constate Lily.

David renifle avec mépris :

– Votre maison, elle est nulle ! On m'a dit qu'il y a des fantômes. Moi, j'ai seulement vu une sorcière.

– Toi, tu mériterais une bonne correction.

David voit que Lily ne plaisante pas. Il se recroqueville devant la télé.

Charly fait un clin d'œil à Angel :

– Le voilà muselé, ton roquet féroce !

Pas manchot, le minot !

Flo se penche sur la rédaction de David.

– Voilà, j'ai tout recopié et j'ai corrigé les fautes d'orthographe, presque toutes.

David range la feuille dans son classeur sans un mot.

– Tu pourrais dire merci ! gronde Flo.

– Merci, murmure le garçon.

– Des fois, j'ai envie de t'arracher la tête, comme tu le faisais à mes poupées !

Au lieu de se rebeller, David sourit, amusé.

– Pas mal ! Tu devrais faire ça plus souvent, lui conseille Flo.

– Quoi ?

– Sourire. Ton histoire de fantômes est intéressante, et ton écriture s'améliore. En fait, tu pourrais te débrouiller tout seul.

– Je mets trop de temps !

– Tu n'as qu'à ôter ton pansement, il te gêne.

– Je ne peux pas.

– Dis plutôt que tu ne veux pas. Entre nous, tu ne serais pas paresseux ?

– Un peu.

Les yeux de David sont malicieux.

– Ne compte plus sur moi, dit Flo.

Au même instant, Angel fait irruption dans la chambre. Il est en survêtement, son sac de sport à l'épaule.

– Je vais m'entraîner, annonce-t-il. Je suppose que tu ne veux pas m'accompagner.

À sa grande surprise, le garçon se dresse, tout joyeux :

– Je viens !

– Assister à ce jeu stupide ?

– Ces gesticulations de chimpanzés, raille David.

Angel laisse tomber son sac et lève la main :

– J'ai bien envie…

– Ne te prive pas, l'encourage Flo.

– Deux contre un ! proteste le garçon.

À son expression, on devine qu'il ne prend pas la menace au sérieux.

– Je te préviens : moi, je vais au stade à vélo.

– Moi aussi.

Agnès regarde la main de David avec inquiétude :

– Pas d'imprudence !

– On va rouler lentement, promet Angel.

Le terrain de foot est proche et David se débrouille à bicyclette. Dix minutes plus tard, ils pénètrent dans le stade.

Frank Rodriguez accueille David.

– Tu viens t'entraîner, toi aussi, petit ?

David redresse la tête d'un air de défi :

– Pourquoi pas ?

– Ta main est guérie ?

– On joue avec les pieds, non ?

– C'est vrai, reconnaît l'entraîneur en riant de bon cœur.

David se mêle aux joueurs en train de s'exercer. « Il va être ridicule, ça lui servira de leçon », pense Angel. Cependant, David est loin d'être maladroit. Il jongle avec adresse, et, au jeu de tête, il se montre plutôt bon.

– Pas mal, apprécie Frank.

David se rengorge.

– Quand ta main ira mieux, si ça te tente.

David prend l'air important et répond :

– J'ai déjà joué au foot, vous savez, et pas à Saint-Antonin, à Paris !

– Tu es un vrai champion alors ! ironise l'entraîneur, amusé par le petit fanfaron.

Il compose deux équipes de sept joueurs. Dans la première, en brassards blancs, il place Théo, Mike, Axel, Sydney, Sacha, Damien et Angel. La deuxième, en brassards noirs, réunit Karim, le gardien remplaçant, Djamel et Rob, les défenseurs, Fabien en milieu de terrain, Fred, Salvator et Loïc à l'attaque.

Angel et Loïc sont les deux buteurs rivaux de Saint-

Antonin. Angel est meilleur footballeur. Loïc, un peu plus âgé, est plus grand et plus musclé que lui. Les défenses adverses le craignent !

Pierre, Sam, Bobo et Tom s'installent sur le banc de touche à côté de David. L'ambiance est joyeuse.

Toutes les cinq ou dix minutes, selon son habitude, Frank met un certain nombre de joueurs au repos. Axel, Sacha et Salvator laissent leur place à Sam, Tom et Bobo.

Angel manque un but facile par excès de précipitation. Loïc, lui, décoche des tirs dont la puissance met chaque fois Théo en danger. Il va marquer lorsque Mike intercepte. La contre-attaque est instantanée. La balle parvient à Sydney, lancé le long de la touche. Ce dernier déborde la défense près de la ligne de sortie et centre. Angel reprend de la tête. Il voit déjà le ballon s'écraser au fond des filets quand Karim le détourne. Beau réflexe !

Sur le banc, David s'anime et se prend même à crier :

– Allez, les Blancs !

Axel le taquine :

– Tiens, je croyais que tu détestais ce jeu de singes ?

Devant la passion manifestée par le jeune garçon, l'entraîneur lui propose :

– Un petit essai ?

Le visage de David s'illumine :

– Je veux bien.

– Mets un maillot et un brassard… noir. Avant de jouer, échauffe-toi.

Frank recommande aux autres :

– Attention à son poignet !

Quelques minutes plus tard, David entre sur le terrain. Les autres sourient parce que le maillot qu'on lui a donné est trop grand pour lui.

– Jolie, ta robe, plaisante Loïc.

D'abord, David commet des maladresses.

Puis il prend peu à peu de l'assurance. Il dribble Tom, mais se heurte brutalement à Sydney. Frank siffle :

– Coup franc !

Il se penche sur David et s'inquiète :

– Ça va, le poignet ?

– Désolé, mec, grogne Sydney.

Angel, tout étonné, voit David se relever et placer tranquillement son ballon. Son shoot manque de force. Le gardien repousse la balle. Bobo s'en empare. Il adresse une longue passe à Salvator, qui prolonge de la tête sur David. Théo sort de ses buts. David hésite, puis il se défausse sur Loïc, lancé à sa gauche. L'avant-centre propulse le ballon dans les filets. 1 à 0.

Le buteur triomphe. Il lève les bras, bombe le torse, puis se souvient de son partenaire et presse David dans ses bras avec sa brutalité habituelle :

– Zut, ton poignet ! Je ne t'ai pas fait mal ?

David sourit :

– Mollo, King Kong !

L'entraîneur siffle la fin de la partie. Les Noirs ont gagné. Loïc ébouriffe les boucles de David :

– Il n'est pas manchot, ce minot !

Le frimeur

Après le match, les dix-huit garçons ont couru sous la douche. Ils se bousculent gaiement, s'aspergent, se jettent des gants de toilette. David reste à l'écart. L'entraîneur s'étonne :

– Tu ne te laves pas ?

David exhibe son pansement.

– Enlève-le. Tu veux que je t'aide ?

Le garçon fait signe que non. Il détache son bandage.

Apparemment, il n'a aucune difficulté à se déshabiller.

– On dirait que ça va mieux, ton poignet, constate Angel.

– Pas toujours.

– En classe, pendant les maths, sa main lui fait très mal, plaisante Bobo.

– En tout cas, ses pieds fonctionnent bien, signale Loïc.

David crâne :

– À Paris, j'étais champion.

– Champion de quoi ? ironise Théo.

– De foot.

Le gardien fait un clin d'œil malicieux à ses coéquipiers :

– Il a une longue carrière derrière lui.

– Allez, vous pouvez rigoler, râle David. N'empêche que moi, j'ai marqué six buts en un seul match.

– Avec ta main droite, sans doute ?

– Tu es furax parce qu'on t'a planté un but, se rebiffe David.

– Loïc a marqué lui, mais pas toi, mon petit Poussinet, lance Théo.

Angel repousse David :

– Arrête de frimer. Tu as bien joué, inutile d'en rajouter.

– Nullards ! grommelle David.

Angel sent la moutarde lui monter au nez :

– C'est ça, il n'y a que toi de génial.

Au retour, il pédale vite pour semer David, mais celui-ci soutient le rythme. À peine arrivé, il téléphone à son père pour lui raconter son exploit : il a fait un match génial, joué comme un dieu. Il a même permis à son équipe de gagner...

– C'est vrai, ce qu'il dit ? demande Flo.

Angel opine :

– Il est plutôt adroit, il ne se débrouille pas trop mal.

– Malgré sa main ?

– Je pense qu'elle est guérie, sa main, si tu veux mon avis !

Flo hoche la tête. Son frère vient de lui confirmer ce qu'elle soupçonnait déjà.

– Champion, je pense que tu n'as plus besoin de moi pour écrire maintenant.

– Ce n'est pas la même chose, mes doigts…

– Petit menteur !

– Vipère !

David va bouder sur le banc du jardin. En le voyant solitaire et maussade, Agnès soupire :

– Que s'est-il encore passé ?

– Ton angelot fait la tête, répond Flo. Tu ne vois pas que c'est un comédien ? Arrête de le traiter comme un bébé !

– Il fait du foot comme les autres, affirme Angel.

– Du foot ? s'alarme Agnès. Vous m'aviez pourtant promis de faire attention…

Au même instant, Julien surgit. Il a l'air tout excité :

– Jean-Pierre m'a téléphoné. David lui a parlé de sa partie de foot. Il est ravi que son fils fasse du sport. Le petit aimait ça, à Paris.

Il l'a trouvé joyeux, passionné, transformé. Ça le rassure. Il nous remercie.

– Il peut ! gronde Flo. Plutôt dresser un pitbull que s'occuper de ce gamin !

Son père éclate de rire :

– Angel et Flo, vous avez été très gentils. Votre mission sera bientôt terminée. Dès son retour d'Inde, Jean-Pierre va habiter sa maison de Violès. Il reprendra David.

– Bon vent ! souffle la fillette.

Sa mère lui lance un regard sévère :

– Florence, vraiment…

« S'ils se figurent que David a changé, ils se mettent le doigt dans l'œil », pense Angel. Chaque jour, il le voit faire des simagrées et mentir. À l'école, il refuse d'écrire au tableau. Quand il se plaint de douleurs insupportables, un délégué l'accompagne à l'infirmerie. On refait son pansement. Si on le menace d'avertir sa famille, tout de suite, il va beaucoup mieux. Dans la cour de récréation, il est carrément ressuscité. Il fait de grands gestes pour raconter son match. Il raconte à tout le monde qu'il est dans l'équipe de Saint-Antonin...

– Pas encore, objecte Rob.

David sourit d'un air supérieur :

– On parie ?

– Apprends d'abord à jouer, réplique Angel.

– Petit crâneur ! lâche Loïc.

– N'empêche que, sans moi,
tu n'aurais pas marqué !

Cette fois, Loïc se fâche pour de bon. Il empoigne David par le col et le soulève. Angel intervient :

— Laisse-le, tu vois bien qu'il ne sait pas ce qu'il dit.

David envoie des coups de pied rageurs. Angel le maîtrise et l'entraîne de force à l'écart des autres :

— Je t'ai déjà dit de faire gaffe à Loïc. Arrête de le provoquer, ça finira mal !

— Il ne me fait pas peur !

— Tu n'as peur de rien, je sais, ironise Angel. Mais, s'il t'arrive quelque chose, ça me retombera dessus. Et je suis chargé de veiller sur toi.

David shoote dans un caillou :

— Je n'ai besoin de personne.

— Alors, débrouille-toi.

Angel s'éloigne. À distance, il observe le garçon, qui s'est assis par terre, la tête sur les genoux. De temps en temps, il s'essuie les yeux. Un enfant gâté, voilà ce qu'il est. Les autres garçons le sentent et lui en veulent. Pourtant, David sait se montrer gentil. La veille, il a couru chez le libraire et rapporté à Angel deux bandes dessinées.

« J'en ai marre de jouer à la nounou », soupire Angel.

Caprices

– Je ne peux pas abandonner David, répète Angel.

– Allez, viens, juste pour un après-midi ! plaide Charly.

– Mes parents sont absents. Impossible de le laisser seul à la maison.

– C'est une véritable plaie, ton copain, grommelle Charly.

– Ce n'est pas mon copain.

– Et puis, Lily n'a pas envie de le revoir,

je parie. La dernière fois, il l'a traitée de sorcière. Je lui aurais bien cassé la figure.

– Il est malheureux.

Charly hausse les épaules :

– Il est surtout très jaloux. Je t'avertis,
si jamais…

Il se met à rire :

– De toute façon, s'il nous embête, Lily
s'occupera de son cas. OK, amène-le.

– Au milieu des autres, il se tiendra peut-
être à carreau, murmure Angel. Flo et ses
amies vont le surveiller de près.

Lorsqu'ils arrivent chez la grand-mère de
Charly, l'attitude de David dissipe l'inquiétude d'Angel. Le garçon fait des efforts. Il
salue gaiement Théo, Salvator, Bobo, Loïc,
Rob et Sacha. Il remercie même Lily pour
son accueil. Il s'extasie sur le buffet qu'elle
a préparé.

– On voit que tu lui as fait la leçon, fait
remarquer Charly.

– Je l'ai menacé de le livrer aux fantômes.
– Bien joué ! s'esclaffe Charly.

Devant la maison s'étend une vaste
pelouse. Aux deux extrémités, Lily a fait
construire des buts.

– Prêts pour le match ? lance Charly.
– On va jouer au foot ! s'écrie David, ravi.
– Un vrai match, prévient Loïc. Deux
mi-temps d'un quart d'heure.
– On est huit, quatre contre quatre,
calcule David.

– On est quatorze ! rectifie Flo. Les filles contre les garçons !

David éclate de rire :

– Les filles jouent aussi ?

– Mieux que toi, Poussinet, réplique Flo. Je t'ai dit qu'on avait une bonne équipe. Any est goal, Audrey et Marie en défense, Capucine au milieu, Rita et moi à l'avant.

– Huit garçons et six filles, ça ne fait pas le compte, intervient Lily. Un garçon doit se joindre à l'équipe féminine.

David regarde la grand-mère d'un air ébahi. Elle a mis un short, des chaussures de foot et porte un sifflet attaché autour du cou par une cordelette.

– Elle va jouer ?

– Arbitrer, précise Charly.

– Elle est trop vieille !

– Ne dis jamais ça, conseille Charly. Elle court comme une championne et elle connaît les règles aussi bien qu'un arbitre international. Mon grand-père était une star du foot en Italie. Il a joué à l'AS Roma.

Lily prend aussitôt les choses en main :

– Qui va jouer avec les filles ?

– David ! s'écrie Salvator.

– Pas moi, non, grogne David.

Rita a un petit rire méprisant :

– De toute façon, on ne te veut pas avec nous, minus !

– C'est ça… je vais te montrer…, s'emporte le garçon.

Lily lance un coup de sifflet strident pour remettre de l'ordre :

– On se calme !

– Moi, je veux bien jouer avec les filles, déclare Loïc.

– Ouais ! Loïc avec nous ! jubile Flo.

David note une complicité entre la fille et le garçon, et cette entente l'agace.

– Avant de commencer… Vous avez apporté vos maillots les enfants ? demande Lily.

Les enfants répondent par l'affirmative. Loïc réclame un des tee-shirts bleus de l'équipe des filles.

– Je te prête l'un des miens, mais surtout ne le déchire pas, supplie Capucine.

Quelques minutes plus tard, les quatorze joueurs se répandent sur la pelouse. Loïc est moulé dans son maillot trop petit.

– Tu es très mignonne ! s'esclaffe David.

Loïc lui jette un regard menaçant :

– Un poignet cassé, ça ne te suffit pas ?

Il dresse le poing. On entend craquer le tissu.

– Ça y est, mon beau tee-shirt est fichu ! se désole Capucine.

Lily siffle pour rassembler les joueurs.

– Je joue en défense, décide Loïc.

– Moi, à l'attaque, dit David.

– Si tu veux, se résigne Angel.

L'attitude autoritaire du gamin exaspère tout le monde.

– Prêts ? demande Lily.

Elle lève le bras et siffle le coup d'envoi comme une vraie pro. Immédiatement, les filles prennent l'avantage. Elles sont un peu plus âgées et plus grandes que les garçons, excepté Loïc, qui joue dans leur camp. Adroites et rapides, elles enfoncent rapidement la défense.

Lily désigne le centre.

– Minable, Théo ! Minable ! crie David.

– Toi, la ferme ! gronde le gardien.

Les filles, exubérantes, courent dans tous les sens. David, déjà en position, tremble d'impatience. Il râle parce qu'elles tardent à reprendre la partie.

– Tu es pressé ? ironise Salvator.

– Toi, tu es pressé de perdre, pas moi !

– Alors, vas-y, montre-nous ce que tu sais faire, champion ! raille Salvator.

Il engage sur lui. David se précipite à l'attaque. À sa gauche, Angel appelle le ballon. David l'ignore. Il fonce, il veut marquer. Audrey le laisse approcher, puis elle lui subtilise la balle avec adresse. David, rageur, lui agrippe le maillot.

– Lâche-moi !

Audrey se débat et son coude cogne le visage du garçon.

Lily siffle :

– Coup franc !

La pénalité est favorable à l'équipe fémi-nine. David proteste :

– C'est elle qui m'a frappé !

– Recule, lui commande Lily.

Ignorant l'ordre de l'arbitre, David veut empêcher Audrey de tirer, mais elle se débarrasse de lui d'un geste souple. Elle passe à Marie, qui veut alerter Rita. Angel intercepte. Il crochète Audrey, se trouve face à Loïc. Il simule un dribble et passe à David, lancé à sa droite. Le garçon cafouille, marche sur le ballon et s'étale au milieu des rires. Any dégage sans difficulté.

David, furieux, s'en prend à Angel :

– Ta passe était pourrie !

Loïc lui ébouriffe les cheveux :

– Trop de plumes, pas assez de muscles, Poussinet !

– Je te préviens, ne m'appelle plus jamais comme ça ! enrage David.

Loïc l'écarte d'un geste vigoureux :

– Du vent, Poussinet.

Les filles foncent de nouveau à l'attaque. Aussitôt, Flo marque un deuxième but, puis Angel réduit le score : 2 à 1. David, trop nerveux, collectionne les maladresses. Il s'énerve, distribue des coups de pied.

– Tu as intérêt à te calmer, conseille Loïc, menaçant.

– Si je veux, grogne David.

La partie reprend. Les filles dominent toujours. Flo manque le troisième but d'un cheveu. La balle sort. Puis Théo réussit un bel arrêt. Les garçons contre-attaquent. Angel passe Capucine, se débarrasse adroitement d'Audrey. Au lieu de tirer, il glisse le ballon à David, devant les buts.

Au même instant, Loïc se lance vivement dans les jambes de David. Le tacle soulève le garçon du sol et le culbute. Et Any bloque la balle.

David reste cloué au sol. Angel vient s'agenouiller près de lui :

– Tu es blessé ?

– J'ai mal, oui, je veux rentrer.

Lily examine sa main et déclare :

– Ce n'est pas si grave.

– Vous, vous ne savez même pas arbitrer ! fulmine le garçon, les larmes aux yeux.

– Arrête tes caprices, soupire Flo.

– Je ne l'ai même pas touché, plaide Loïc.

Flo éclate de rire :

– C'est ça, grosse brute, à peine !

Comme les pleurs de David redoublent, Lily siffle la fin du match. Elle demande à Angel :

– Téléphone à ta mère pour qu'elle vienne le chercher.

Agnès arrive un quart d'heure plus tard, tout affolée. Lily la rassure à voix basse :

– Il n'a rien du tout. C'est une simple blessure d'amour-propre.

Installé dans la voiture, David exige :

– Angel, rentre avec moi !

Angel secoue la tête :

– La fête n'est pas finie.

Il referme la portière :

– Soigne-toi bien !

Petit pantin !

David n'a pas boudé longtemps : sa blessure imaginaire et son humiliation se sont évaporées lorsqu'il a appris que son père revenait plus tôt que prévu. En effet, Jean-Pierre a interrompu sa mission. Il a six mois de vacances. David est heureux.

Son père arrive le lendemain. C'est un homme de haute taille, très costaud. Il a une voix fluette et une carrure de rugbyman. Julien et Jean-Pierre sont contents de se retrouver. Quand ils sont ensemble, ils s'amusent comme des adolescents.

– Alors, ta maison est prête ? demande Julien.

– Laquelle ? Celle de Lahore ou celle de Violès ? Impossible de dire laquelle est la plus délabrée ! répond Jean-Pierre dans un fou rire interminable.

Les deux hommes racontent leurs souvenirs d'école, leurs farces, leurs chahuts. Flo, Angel et David en rient aux larmes.

Après le retour de son père, en deux semaines à peine, le garçon a changé. Il a coupé ses boucles blondes. Il paraît moins maigre. Il a meilleur caractère. Ses rapports avec Flo et Angel, qu'il voit à l'école et le week-end, sont devenus agréables depuis qu'ils ne vivent plus ensemble.

Cependant, Jean-Pierre manque d'autorité. Il protège beaucoup trop son fils, et celui-ci en profite.

– Il a encore mal au poignet, affirme Jean-Pierre.

Le simulacre de David a des inconvénients : en l'inscrivant au club de foot de Saint-Antonin, son père a recommandé à Frank Rodriguez d'éviter tout ce qui risquerait de le blesser.

Et David est souvent laissé sur la touche durant les matchs.

Angel et Flo pensent que le garçon joue la comédie. Quand il s'agit de faire un effort en cours, il fait semblant de souffrir. Et, chaque fois, le poignet guérit miraculeusement à la récréation :

– Je peux jouer !

– Tu sais bien que tu es trop fragile, mon Poussinet, plaisante Rob.

– Mon œil !

David montre son pansement :

– Quand je serai délivré, vous verrez si je suis fragile !

– Tu nous as déjà fait une démonstration, tu te souviens ? intervient Salvator.

– Quand ça ?

– Chez Lily, rigole Salvator.

Il imite David qui trébuche sur le ballon, gesticule comme un pantin désarticulé, et s'étale. Angel croit que David va piquer une crise de colère. À son grand étonnement, il se met à rire avec les autres. Puis il propose :

– On essaie ?

Il montre le terrain de foot aménagé au bout de la cour. Il est petit mais suffisant pour quelques joueurs.

– Pourquoi pas ? s'exclame Salvator. Viens prendre ta leçon.

Un ballon surgit. Deux équipes se forment. Théo, Rob, Sydney et Salvator contre Karim, Charly, Angel et David.

– J'arbitre ! décrète Rita.

« David va protester », se dit Angel. Or, le garçon acquiesce avec le sourire :

– Si tu veux.

La première attaque est à l'avantage du camp adverse. Salvator, balle au pied, enfonce la défense et projette Karim dans sa cage. Rita refuse le but et accorde un coup franc au gardien.

– Bravo, David !

– Génial !

Au bord du terrain, Flo et ses amies acclament le buteur, rouge de fierté. Charly lui lance une bourrade amicale :

– C'est vrai que tu es bon.

– J'ai eu de la chance.

Angel le regarde, sidéré. Cette modestie ne ressemble pas à David. Pourtant, le garçon est sincère. Il s'amuse avec ses partenaires et, quand Sydney le bouscule d'un coup d'épaule, il ne se plaint même pas.

Karim dégage son camp. David reprend de la tête sur Angel, qui dévie sur Charly. Les trois enfants s'entendent bien. Leurs passes s'enchaînent. Leurs adversaires ne touchent plus la balle, ils en sont réduits à attaquer son porteur. Rob fauche Charly. Rita siffle :

– Coup franc !

Charly place le ballon à dix mètres de Théo.

Son tir suit une trajectoire courbe. La balle rebondit sur le sol inégal. Le gardien veut la saisir. Elle lui échappe. But ! 2 à 0.

David applaudit en riant de plaisir :

– Magique !

Les filles crient. Théo râle :

– C'est à cause de ce champ de mines !

La récré va bientôt se terminer. Salvator engage en vitesse. Il passe à Sydney. Charly essaie d'intercepter. Sydney l'écarte, main tendue. Il adresse une longue passe à Rob, qui shoote de toutes ses forces. Karim arrête le tir, laisse échapper le ballon. Salvator le pousse dans les buts. 2 à 1.

La sonnerie de l'école retentit. Rita siffle la fin du match. La paume de Charly claque sur celle de David :

– On a gagné, petit pantin !

– Vous croyez que Frank va me mettre dans l'équipe, dimanche ? demande David avec espoir.

– Il a intérêt ! rugit Salvator.

Rob fait la moue :

– Ils sont costauds, les gars de Stanislas.

– Je n'ai pas peur des coups, frime David.

– Plus de Poussinet, le taquine Flo. Tu es un coq ! Un vrai coq de combat !

Exclusion

David tremble d'excitation. Il se ronge les ongles. C'est la première fois qu'il porte officiellement le maillot bleu des poussins de Saint-Antonin, et son nom est inscrit sur la feuille de match : David Pluvier. Il fait partie des douze joueurs qui vont affronter Stanislas.

Loïc l'asticote :

– Tu n'as pas oublié ta couche-culotte ?

– J'ai aussi mon biberon.

Sa répartie amuse l'avant-centre.

– David va t'étonner, dit Salvator au souvenir du match de l'avant-veille.

– C'est Garnier qu'il faut surprendre, grogne Loïc en montrant un grand rouquin dans l'équipe adverse. Une vraie brute !

– N'aie pas peur, je vais te protéger ! lance David.

Les joueurs éclatent de rire. David reprend son sérieux. Son père est venu le voir jouer. Il est assis dans la tribune du stade en compagnie de Julien. Il y a aussi Flo et ses amies. Elles crient comme des furies.

David veut briller devant son père. Il veut lui démontrer que les exploits qu'il a accomplis à l'entraînement ou à l'école ne sont pas le fruit du hasard, qu'il peut les réussir au cours d'un vrai match, contre des adversaires redoutables : les joueurs de Stanislas !

« Sois prudent si tu joues », a recommandé Jean-Pierre. Celui-ci le traite comme un bébé. Avant, cela lui convenait. Mais à présent, ça l'agace. Bien sûr qu'il va jouer, se battre et prendre des coups. Il donnerait tout ce qu'il possède pour marquer un but.

En attendant, Théo, Rob, Djamel, Sydney, Sacha, Angel et Loïc entrent sur le terrain. David s'installe sur le banc des remplaçants aux côtés de Bobo, Karim, Salvator et Damien.

Stanislas est une des meilleures équipes de la région. Ses joueurs en maillots rouges envahissent le camp de Saint-Antonin. Pendant les premières minutes de la rencontre, on ne voit qu'eux. Djamel et Rob semblent désorientés par la rapidité de leurs adversaires. Heureusement, Théo veille. Il exécute plusieurs arrêts magnifiques. Ses plongeons déclenchent les applaudissements des spectateurs.

Un quart d'heure après le coup d'envoi, le score est toujours de 0 à 0. Frank remplace Sydney. Bobo et Salvator entrent sur le terrain à la place de Sacha et Djamel. L'arrivée des nouveaux joueurs renforce l'attaque.

Salvator monte le long de la touche.

Il centre sur la tête de Loïc,
qui prolonge vers Bobo.

Bobo échappe au tacle de Garnier.

Il crochète un dernier défenseur et tire.

Le gardien repousse des deux poings.

Angel reprend.

Le ballon passe au-dessus de la transversale.

– Bravo, Angel ! crie David.

« Si j'avais été là…, pense-t-il. Moi, j'aurais amorti et puis… »

Cinq minutes plus tard, Frank procède à de nouveaux changements. Karim et Damien entrent à leur tour. David est seul à ne pas quitter le banc. Il s'impatiente. Saint-Antonin et Stanislas se livrent un duel acharné. Les attaques se succèdent, tantôt blanches, tantôt rouges. Loïc se bat avec une énergie farouche. Mais son jeu est désordonné.

« À sa place, au lieu de tirer de si loin, je me rapprocherais, et je dribblerais le libero… », rêve David. Il oublie Garnier. Le grand rouquin exerce un marquage impitoyable sur l'avant-centre de Saint-Antonin.

Frank continue à faire tourner ses joueurs. Sydney et Sacha reprennent leur place. « Et moi ? pense David avec désespoir. Il m'a oublié. Non, il ne m'aime pas, ou alors il respecte les consignes de mon père : mon fils est trop délicat, le match est beaucoup trop dangereux... »

Le garçon enrage.

Tout ça, c'est à cause de ce maudit pansement ! Les autres le prennent pour un infirme. En même temps, il songe : « C'est ce que je voulais ! »

Soudain, il oublie ses jérémiades. Les avants de Stanislas ont envahi la surface de Saint-Antonin. L'ailier droit est seul, il reprend le ballon. David retient son souffle. L'attaquant fait semblant de tirer. Karim saute. L'ailier glisse la balle dans les filets. Un but tout en finesse. 1 à 0.

Le dépit de David redouble en voyant les maillots rouges, fous de joie, courir dans tous les sens. Il détache son pansement, l'arrache. Il fait jouer ses doigts.

– Qu'est-ce que tu fais, pantin ? s'étonne Salvator.

– Ne m'appelle pas comme ça ! râle David.

Au même instant, Angel les rejoint sur le banc. Voyant la main de David sans protection, il propose gentiment :

– Tu veux que je te remette ta bande ?

David secoue la tête :

– Je serai plus libre sans pour jouer.

Il ajoute d'un air décidé :

– Et pour gagner !

À toi, champion !

David coule des regards furtifs vers la tribune. Son père discute avec son voisin en faisant de grands gestes. Les filles rient. David peste : « Elles se moquent de moi ! » Ne tenant plus en place, il se lève, fait le tour du banc, puis se rassied, résigné.

– Il ne va pas me faire jouer !

Touché par la déception du garçon, Angel lui presse l'épaule :

– Mais si, tu verras. S'il t'a mis sur la liste, c'est qu'il compte sur toi. Sois patient.

« Patient, tu parles ! peste David. Il y a une demi-heure que j'attends. Le match est bientôt terminé ! »

Frank s'approche du banc. Pour lui ? David n'y croit plus. Il a raison : l'entraîneur rappelle Angel une fois de plus. « Toujours les mêmes ! »

Dès son entrée, l'avant-centre, qui a repris des forces, se déchaîne.

Angel intercepte la balle.

Il s'envole droit au but
Garnier se dresse devant lui

Il crochète l'ailier de Stanislas, se débarrasse adroitement d'un deuxième adversaire.

Au moment d'entrer en contact, Angel glisse le ballon à Salvator.

Celui-ci manque son contrôle. Garnier dégage.

La balle revient sur Angel.

Dos au but, il exécute un retourné.

Le gardien est pétrifié.

Le ballon finit dans les filets.

L'arbitre siffle et désigne le centre. 1 à 1.

Oubliant sa déception, David se dresse avec les autres remplaçants. Ils lèvent les bras. Dans la tribune, les spectateurs crient le nom du buteur :

– Angel ! Angel ! Angel !

Soudain, c'est lui le héros du match. David aimerait être à sa place, mais il n'est pas jaloux. Il est heureux pour l'équipe, son équipe.

Loïc le rejoint sur le banc. Son visage bronzé est en sueur, et il est essoufflé. David le regarde avec admiration. Il pense : « C'est un guerrier, et moi, je suis un gamin ! »

– Combien de temps reste-t-il encore ? grogne l'avant-centre.

– Huit minutes, répond Sydney.

– Attention !

Les Rouges attaquent. Leur avant-centre décoche un tir à ras de terre. Karim se couche sur la balle. Il reste dans cette position. Loïc s'énerve :

– Plus vite ! Quel mollusque !

Le gardien dégage. Damien devance Garnier. Le rouquin le fauche irrégulièrement. L'arbitre siffle :

– Coup franc !

Le tir de Damien, trop précipité, se perd sur la droite des buts. David ferme les yeux. « C'est fini ! » Son amertume fait place à la colère. Loïc le bouscule. Il se rebiffe :

– Qu'est-ce que tu veux ?

L'avant-centre lui montre Frank qui fait de grands gestes. David n'en croit pas ses yeux. Loïc le pousse vers le terrain en riant :

– À toi, champion !

David rejoint sa place à l'aile droite. Crispé, il rate sa première reprise et laisse sortir le ballon en touche. Puis, en voulant servir Angel, il offre la balle à un adversaire. Des sifflets retentissent. Il s'énerve : « Nul ! Je suis nul ! »

Il court de toutes ses forces. La balle lui échappe encore. « Calme-toi ! »

Salvator lui adresse une passe loin devant. Cette fois, il contrôle habilement le ballon. Garnier fonce sur lui. Il l'évite, centre. Le gardien saisit la balle, et relance à la main.

– Allez, David !

Il croit reconnaître la voix de son père.

Angel récupère le ballon. Il dribble deux adversaires. C'est vraiment lui le meilleur.

Il s'avance, le gardien plonge dans ses pieds.
L'avant-centre saute pour éviter de le blesser.

Loïc reprend sa place. Salvator sort du
terrain. David a eu peur que Frank ne le
renvoie sur le banc, mais il reste en jeu.
« Combien de temps encore ? »

Angel intercepte une fois de plus. Il lui
adresse une passe. David la réceptionne.

Il fonce le long de la ligne de touche et centre. À huit mètres des buts, Loïc, bien placé, reprend de volée. La balle passe au-dessus de la transversale.

L'avant-centre se tourne vers David, le pouce levé : « Jolie passe ! »

Trop fort !

Angel observe David. Le jeune garçon est méconnaissable. Malgré sa petite taille, il s'impose devant les robustes défenseurs de Stanislas.

Il court, dribble, alerte ses coéquipiers. Il semble infatigable.

– Vas-y, David !

Angel reconnaît les voix de Flo et de Capucine. Leurs encouragements donnent des ailes au petit ailier.

Sur une ouverture trop longue, le gardien de Stanislas dégage au pied. La balle franchit la ligne médiane. Une fois de plus, les maillots rouges se déploient. En essayant d'intercepter, Djamel donne le ballon à leur avant-centre. Celui-ci passe à l'un de ses partenaires, qui frappe.

Théo, qui vient de remplacer Karim, plonge et détourne la balle en corner.

Toujours 1 à 1. L'arbitre ne se décide pas à siffler la fin de la rencontre. Le public hurle :

– Allez, Saint-Antonin !

– Allez, Stanislas !

Sur le coup de pied de coin, Théo frappe le ballon, qui atterrit dans les pieds de Djamel. Le défenseur monte à toute vitesse le long de la touche.

Comme personne ne l'attaque, il franchit la ligne médiane, et renverse le jeu sur David, à droite.

David s'étale brutalement et reste couché sur le sol.

Angel pense au poignet du garçon. Une chute pareille, il a dû se blesser ! Il se précipite. Frank en fait autant. Ils s'empressent autour du petit ailier. Loïc, furieux, bouscule l'attaquant adverse :

– Pourriture !

David se relève. Sa grimace n'est pas due à la douleur. Il repousse avec impatience ceux qui l'entourent :

– Vite !

L'arbitre a sifflé et accordé un coup de pied de réparation. Dernière chance !

David place la balle. Loïc propose :

– Tu veux que je le tire ?

– Laisse-le faire, dit Angel.

David prend de l'élan. Il sait que le temps est écoulé. Tout dépend de lui. Un but, et c'est la victoire.

Un bref instant, il ferme les yeux pour se

concentrer. Au signal de l'arbitre, il s'élance et frappe de toutes ses forces. Il manque son tir, mais son pied donne un effet insolite qui trompe le gardien. But !

L'arbitre siffle en montrant le centre. 2 à 1. Puis il siffle une deuxième fois pour signifier la fin de la rencontre. David rayonne. Son rêve s'est réalisé. Saint-Antonin est vainqueur grâce à lui. Il a envie de crier, de chanter, de pleurer.

Les spectateurs envahissent la pelouse, ils le félicitent. Capucine l'embrasse. Loïc le soulève et le balance dans ses bras avant de le reposer par terre. Devant la tribune, son père lui fait des signes. « Bravo, champion ! » David lui répond. C'est sa main droite qu'il agite. Ses doigts lui obéissent sans difficulté. Plus de blessure pour attirer l'attention des autres, se faire plaindre et aimer. Plus de comédie. Il est redevenu lui-même, grâce au foot, grâce...

Angel vient vers lui, le sourire aux lèvres. Grâce à Angel, oui. C'est lui qui l'a aidé, encouragé.

– Trop fort ! s'exclame son ami en lui tendant la main.

David prend la main offerte en recommandant :

– Pas trop fort tout de même !

Retrouve Angel
et toute l'équipe de Saint-Antonin
dans le prochain tome de

7 - Drôle d'entraîneur

Ne rate pas un match d'Angel
en lisant toute la collection

1 - Baby Foot

2 - Sacré buteur !

3 - La plus belle des victoires

4 - Une équipe de rêve

5 - Le défi

6 - Rencontre amicale

7 - Drôle d'entraîneur